Andrew Brodie Basics

LET'S DO ARITHMETIC

FOR AGES 7-8

- Matched to National Curriculum tests
- 400 practice questions
- Develops essential number skills for speed and accuracy

with over **100** reward stickers

Published 2016 by Bloomsbury Publishing Plc
50 Bedford Square, London, WC1B 3DP

www.bloomsbury.com

Bloomsbury is a registered trademark of Bloomsbury Publishing Plc

ISBN 978-1-4729-2368-4

First published 2016
© 2016 Andrew Brodie
Cover and inside illustrations of Louis the Lion and Andrew Brodie © 2016 Nikalas Catlow

A CIP catalogue for this book is available from the British Library.

All rights reserved. No part of this publication may be reproduced in any form or by any means – graphic, electronic, or mechanical, including photocopying, recording, taping or information storage and retrieval systems – without the prior permission in writing of the publishers.

10 9 8 7 6 5 4 3 2 1

Printed in China by Leo Paper Products

This book is produced using paper that is made from wood grown in managed, sustainable forests. It is natural, renewable and recyclable. The logging and manufacturing process conform to the environmental regulations of the country of origin.

To see our full range of titles visit **www.bloomsbury.com**

BLOOMSBURY

INTRODUCTION

This is the third in the series of Andrew Brodie *Let's Do Arithmetic* books. The book contains 400 arithmetic questions, deliberately designed to cover the following key aspects of the 'Number' section of the National Curriculum:

- Number and place value
- Addition and subtraction
- Multiplication and division
- Fractions

This book has been specifically written to match the updated National Curriculum tests, in which an arithmetic paper replaces the old mental maths tests. The paper consists of 35–40 questions that range from basic addition and subtraction to calculations with fractions at Key Stage 2. Your child will have 30 minutes to complete the test, so it will be useful for them to practise against the clock.

Your child will benefit most greatly if you have the opportunity to discuss the questions with them. You may find that your child gains low scores when they first begin to take the tests. Make sure that they don't lose confidence. Instead, encourage them to learn from their mistakes.

The level of difficulty increases gradually throughout the book, but note that some questions are repeated. This is to ensure that pupils learn vital new facts: they may not know the answer to a particular question the first time they encounter it, but this provides the opportunity for you to help them to learn it for the next time that they come across it. Don't be surprised if they need to practise certain questions lots of times.

It can be helpful to put up posters on the bedroom wall, showing facts such as the multiplication tables. At Year 3, pupils are encouraged to revise their knowledge of the two times table, the five times table and the ten times table, then to learn the three, four and eight times tables.

TALK ABOUT FRACTIONS:

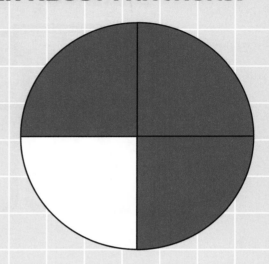

Explain that this circle has been split into 4 pieces, so we are dealing with quarters; 3 out of 4 of these are shaded, so the fraction shaded is three quarters. We write one quarter like this: $\frac{1}{4}$. We write three quarters like this: $\frac{3}{4}$.

Children gain confidence by learning facts that they can use in their future arithmetic work. With lots of practice they will see their score improve and will learn to find maths both satisfying and enjoyable.

1 8 + 6 = ⬚

6 257 – 2 = ⬚

2 12 + 10 = ⬚

7 16 + ⬚ = 24

3 27 – 10 = ⬚

8
```
    2  6
+   1  2
_____
```

4 163 + 4 = ⬚

9
```
    4  8
–   1  3
_____
```

5 Double 4 = ⬚

10 7 x 2 = ⬚

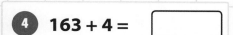
"Are you quick at adding and subtracting?"

REWARD STICKER!

TOTAL SCORE

1 $9 + 6 =$ [ ]

2 $37 + 10 =$ [ ]

3 $59 - 10 =$ [ ]

4 $671 + 6 =$ [ ]

REWARD STICKER!

5 Double $5 =$ [ ]

6 $499 - 7 =$ [ ]

7 $17 +$ [ ] $= 23$

8
```
    5  5
+   2  3
_____
```

9
```
    7  9
-   3  4
_____
```

10 $9 \times 2 =$ [ ]

"Read the questions carefully."

TOTAL SCORE

1 8 + 6 = ☐

2 58 + 10 = ☐

3 83 − 10 = ☐

4 812 + 6 = ☐

5 Double 6 = ☐

6 748 − 5 = ☐

7 18 + ☐ = 27

8
```
    4  6
+   2  2
_____
```

9
```
    9  7
−   3  4
_____
```

10 12 x 2 = ☐

REWARD STICKER!

"Adding ten changes the tens digit."

TOTAL SCORE

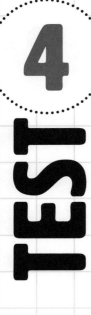

TEST 4

1 8 + 7 = ☐

2 112 + 10 = ☐

3 249 – 10 = ☐

4 562 + 8 = ☐

5 Double 7 = ☐

6 808 – 6 = ☐

7 17 + ☐ = 25

8
```
     5   7
 +   3   3
 _____
 _____
```

9
```
     8   8
 –   2   8
 _____
 _____
```

10 8 x 2 = ☐

REWARD STICKER!

"Subtracting ten changes the tens digit."

TOTAL SCORE

1 6 + 5 = ☐

2 365 + 10 = ☐

3 418 – 10 = ☐

4 211 + 8 = ☐

5 Double 8 = ☐

6 407 – 6 = ☐

7 16 + ☐ = 23

8
```
    4   6
+   4   2
_____

```

9
```
    9   9
–   3   4
_____

```

10 6 x 2 = ☐

5

TEST

REWARD STICKER!

"How quickly can you count up to 100 in ones?"

TOTAL SCORE

7

TEST

REWARD STICKER!

1 7 + 5 = ☐

2 592 + 10 = ☐

3 777 − 10 = ☐

4 318 + 7 = ☐

5 Double 9 = ☐

6 748 − 6 = ☐

7 19 + ☐ = 26

8
```
    5  8
+   3  2
_____
```

9
```
    7  0
−   3  4
_____
```

10 11 x 2 = ☐

"In column subtraction, you sometimes need to borrow ten extra units from the tens column and add these to the units column."

TOTAL SCORE

1 9 + 7 = ☐

2 894 + 10 = ☐

3 503 − 10 = ☐

4 785 + 7 = ☐

5 Double 10 = ☐

6 692 − 8 = ☐

7 29 + ☐ = 33

8
```
    4  6
+   2  7
_____
```

9
```
    9  0
−   2  6
_____
```

10 3 x 5 = ☐

REWARD STICKER!

"How quickly can you count up to 50 in twos?"

TOTAL SCORE

9

REWARD STICKER!

1 $7 + 8 =$ ⬚

2 $793 + 10 =$ ⬚

3 $407 - 10 =$ ⬚

4 $369 + 8 =$ ⬚

5 Double $11 =$ ⬚

6 $560 - 9 =$ ⬚

7 $28 +$ ⬚ $= 34$

8
```
      5   8
  +   3   7
  ─────────
```

9
```
      8   0
  -   5   3
  ─────────
```

10 $4 \times 5 =$ ⬚

"How quickly can you count down from 50 to 0 in twos?"

TOTAL SCORE

1 9 + 5 = ☐

2 899 + 10 = ☐

3 508 – 10 = ☐

4 478 + 8 = ☐

5 Double 12 = ☐

6 360 – 8 = ☐

7 27 + ☐ = 35

8

```
      6   6
  +   2   9
  _____

```

9

```
      9   0
  -   4   2
  _____

```

10 5 x 5 = ☐

TEST 9

"Do you know your five times table?"

REWARD STICKER!

TOTAL SCORE

10 TEST

1 8 + 8 = ☐

2 36 + 100 = ☐

3 465 − 100 = ☐

4 318 + 30 = ☐

5 Double 13 = ☐

6 290 − 8 = ☐

7 26 + ☐ = 36

8
```
    5  7
+   3  5
_____
```

9
```
    7  0
−   3  6
_____
```

10 6 x 5 = ☐

REWARD STICKER!

"How quickly can you say the five times table?"

TOTAL SCORE

1 9 + 9 = ☐

6 140 − 6 = ☐

2 78 + 100 = ☐

7 39 + ☐ = 49

3 123 − 100 = ☐

8
```
    8  6
+   4  7
_____

```

4 462 + 20 = ☐

9
```
    9  0
−   2  4
_____

```

REWARD STICKER!

5 Double 14 = ☐

10 7 x 5 = ☐

"I can use columns for adding. Can you?"

TOTAL SCORE

TEST
11

1 12 + 10 = ☐

2 47 + 100 = ☐

3 199 – 100 = ☐

4 528 + 60 = ☐

5 Double 15 = ☐

6 570 – 8 = ☐

7 67 + ☐ = 77

8
```
    9  5
+   6  8
_____
```

9
```
    6  0
–   1  7
_____
```

10 8 x 5 = ☐

REWARD STICKER!

"I can use columns for subtracting. Can you?"

TOTAL SCORE

1   11 + 7 = [ ]

2   85 + 100 = [ ]

3   365 – 100 = [ ]

4   723 + 70 = [ ]

5 $\frac{1}{2}$ of 10 = [ ]

6   790 – 9 = [ ]

7   45 + [ ] = 65

8
```
    8   8
+   8   8
_____

```

9
```
    8   0
–   3   7
_____

```

10   9 x 5 = [ ]

REWARD STICKER!

"How quickly can you count up in tens to 200?"

TOTAL SCORE

1   12 + 7 = ☐

2   63 + 100 = ☐

3   727 − 100 = ☐

REWARD STICKER!

4   904 + 80 = ☐

5   ½ of 12 = ☐

6   640 − 9 = ☐

7   32 + ☐ = 42

8

```
    7  7
+   7  7
_____
```

9

```
    7  1
−   2  4
_____
```

10   10 x 5 = ☐

"How quickly can you count down in tens from 200 to 0?"

TOTAL SCORE

1 $14 + 6 =$ ☐

2 $48 + 100 =$ ☐

3 $444 - 100 =$ ☐

4 $378 + 50 =$ ☐

5 $\frac{1}{2}$ of $14 =$ ☐

6 $518 - 9 =$ ☐

7 $27 +$ ☐ $= 57$

8
```
    6  8
 +  4  3
 _____

 _____
```

9
```
    8  2
 -  2  5
 _____

 _____
```

10 $11 \times 5 =$ ☐

REWARD STICKER!

"How quickly can you count up in fives to 100?"

16 TEST

1 17 + 5 = ☐

2 529 + 100 = ☐

3 638 − 100 = ☐

4 692 + 40 = ☐

5 ½ of 16 = ☐

6 32 − 9 = ☐

7 48 + ☐ = 68

8
```
    8  7
 +  7  9
_____
```

9
```
    9  1
 −  3  6
_____
```

10 12 x 5 = ☐

REWARD STICKER!

"How quickly can you count down in fives from 100 to 0?"

TOTAL SCORE

1 15 + 7 = ☐

2 345 + 200 = ☐

3 729 – 200 = ☐

4 587 + 60 = ☐

5 ½ of 18 = ☐

6 48 – 9 = ☐

7 75 + ☐ = 95

8
```
    9   3
+   8   4
_____
```

9
```
    7   5
–   4   2
_____
```

10 2 x 10 = ☐

REWARD STICKER!

"How quickly can you count up in twos to 100?"

TOTAL SCORE

19

TEST 18

1 16 + 8 = ☐

6 53 – 9 = ☐

2 512 + 200 = ☐

7 66 + ☐ = 86

3 837 – 200 = ☐

8
```
    2  6
+   4  3
_____
```

REWARD STICKER!

4 679 + 40 = ☐

9
```
    8  7
–   3  5
_____
```

5 ½ of 20 = ☐

10 3 x 10 = ☐

"How quickly can you count down in twos from 100 to 0?"

TOTAL SCORE

1 17 + 4 = ⬜

2 324 + 200 = ⬜

3 957 – 200 = ⬜

4 466 + 70 = ⬜

5 ½ of 22 = ⬜

6 77 – 9 = ⬜

7 52 + ⬜ = 72

8
```
    6  5
+   4  3
_____

```

9
```
    9  3
-   4  5
_____

```

10 4 x 10 = ⬜

REWARD STICKER!

"Are you getting faster at adding?"

TOTAL SCORE

21

1 19 + 8 = ☐

6 812 − 9 = ☐

2 674 + 200 = ☐

7 69 + ☐ = 89

REWARD STICKER!

3 328 − 200 = ☐

8
```
      8  7
 +    5  6
 _____
```

4 786 + 80 = ☐

9
```
      7  2
 −    3  6
 _____
```

5 ½ of 24 = ☐

10 5 x 10 = ☐

"Are you getting faster at subtracting?"

TOTAL SCORE

22

1 26 + 7 = ☐

6 456 – 9 = ☐

2 299 + 200 = ☐

7 92 + ☐ = 102

3 765 – 200 = ☐

8
```
    1   2   4
  +     4   3
  _____

  _____
```

4 322 + 60 = ☐

9
```
        8   4
  –     4   2
  _____

  _____
```

5 ½ of 26 = ☐

10 6 x 10 = ☐

"How many fives are there in 10?"

REWARD STICKER!

TOTAL SCORE

1) $28 + 8 =$ ☐

2) $572 + 200 =$ ☐

3) $379 - 200 =$ ☐

REWARD STICKER!

4) $70 + 60 =$ ☐

5) $7 \times 10 =$ ☐

6) ☐ $\times 2 = 10$

7) $144 +$ ☐ $= 154$

8)
```
    3  6  5
 +     2  7
 _____
```

9)
```
       9  0
 -     4  5
 _____
```

10) $2 \times 3 =$ ☐

"How many fives are there in 25?"

TOTAL SCORE

REWARD STICKER!

1 29 + 5 = ☐

2 613 + 200 = ☐

3 847 − 200 = ☐

4 80 + 40 = ☐

5 8 x 10 = ☐

6 ☐ x 2 = 6

7 8 ÷ 2 = ☐

8
```
    6  9  9
 +     3  6
_____
```

9
```
    7  0
 −  3  5
_____
```

10 3 x 3 = ☐

"How many fives are there in 35?"

TOTAL SCORE

25

1 37 + 7 =

6 ☐ x 2 = 12

2 702 + 200 =

7 16 ÷ 2 =

3 916 – 200 =

8
```
    7   4   7
+   1   0   2
_____
```

4 30 + 90 =

9
```
    5   0
–   2   5
_____
```

5 9 x 10 =

10 4 x 3 =

REWARD STICKER!

"How many fives are there in 40?"

TOTAL SCORE

TEST 25

1 48 + 9 = ☐

6 ☐ x 2 = 16

2 536 + 200 = ☐

7 20 ÷ 2 = ☐

3 648 − 200 = ☐

8
```
    2  2  7
+   2  2  7
_____

_____
```

4 70 + 70 = ☐

9
```
    2  6  5
−      4  7
_____

_____
```

5 10 x 10 = ☐

10 5 x 3 = ☐

"How many threes are there in 9?"

REWARD STICKER!

TOTAL SCORE

26

TEST

1 56 + 6 = ☐

2 479 + 300 = ☐

3 752 – 300 = ☐

4 80 + 50 = ☐

5 11 x 10 = ☐

6 ☐ x 2 = 20

7 24 ÷ 2 = ☐

8
```
    6  1  1
+   2  5  6
_____
```

9
```
    3  8  2
–      5  3
_____
```

10 6 x 3 = ☐

"How many threes are there in 15?"

TOTAL SCORE

1 77 + 7 = ☐

6 ☐ x 2 = 18

2 516 + 300 = ☐

7 14 ÷ 2 = ☐

REWARD
STICKER!

3 838 − 300 = ☐

8
```
    5   4   2
+   1   2   3
_____
```

4 40 + 80 = ☐

9
```
    6   5   7
−   1   2   5
_____
```

5 12 x 10 = ☐

10 7 x 3 = ☐

"How many threes are there in 21?"

TOTAL SCORE

29

1 Double 11 = ☐

2 148 + 300 = ☐

3 405 − 300 = ☐

REWARD STICKER!

4 80 + 60 = ☐

5 2 x 4 = ☐

6 ☐ x 2 = 24

7 18 ÷ 2 = ☐

8
```
    6  7  3
+   2  4  1
_____
```

9
```
    8  2  5
−   3  1  4
_____
```

10 8 x 3 = ☐

"How many threes are there in 27?"

TOTAL SCORE

1 Double 12 = ☐

2 567 + 300 = ☐

3 495 – 300 = ☐

4 90 + 10 = ☐

5 3 x 4 = ☐

6 ☐ x 2 = 22

7 25 ÷ 5 = ☐

8
```
    5  9  2
 +  1  0  7
_____
```

9
```
    6  4  3
 -  2  0  7
_____
```

10 9 x 3 = ☐

REWARD STICKER!

"How many threes are there in 36?"

TOTAL SCORE

1 Double 13 = ☐

2 124 + 400 = ☐

3 672 – 400 = ☐

4 90 + 110 = ☐

5 4 x 4 = ☐

6 ☐ x 2 = 14

7 45 ÷ 5 = ☐

8
```
    6  1  8
+   1  0  2
_____
```

9
```
    7  1  7
–   3  0  6
_____
```

10 10 x 3 = ☐

"Do you know your three times table?"

REWARD STICKER!

TOTAL SCORE

31

TEST

1 Double 14 = [ ]

6 [ ] x 5 = 10

2 324 + 400 = [ ]

7 60 ÷ 5 = [ ]

3 800 – 400 = [ ]

8
```
    5  6  7
 +  1  1  4
 _____
```

REWARD STICKER!

4 80 + 120 = [ ]

9
```
    8  4  4
 –  1  5  3
 _____
```

5 5 x 4 = [ ]

10 11 x 3 = [ ]

"How quickly can you count up in threes to 36?"

TOTAL SCORE

33

1 Double 15 = ☐

2 599 + 400 = ☐

3 647 − 400 = ☐

4 50 + 230 = ☐

REWARD STICKER!

5 6 x 4 = ☐

6 ☐ x 5 = 25

7 40 ÷ 5 = ☐

8
```
    4  2  5
+   1  7  5
_____
```

9
```
    6  2  6
−   1  4  9
_____
```

10 12 x 3 = ☐

"How quickly can you count down in threes from 36 to 0?"

TOTAL SCORE

1   20 ÷ 4 = ☐

6   ☐ x 5 = 20

2   105 + 400 = ☐

7   50 ÷ 5 = ☐

3   888 − 400 = ☐

8

```
      5  6  5
  +   2  7  8
  _____

```

4   150 + 150 = ☐

9

```
      5  8  4
  −   2  3  9
  _____

```

5   7 x 4 = ☐

10   2 x 8 = ☐

"Can you count up in fours to 48?"

TOTAL SCORE

35

TEST

1 28 ÷ 4 = [ ]

6 [ ] x 5 = 30

2 78 + 8 = [ ]

7 30 ÷ 5 = [ ]

3 42 − 9 = [ ]

8
```
    6  7  8
+   2  3  4
_____
```

4 170 + 150 = [ ]

9
```
    8  9  2
−   3  6  7
_____
```

REWARD STICKER!

5 8 x 4 = [ ]

10 3 x 8 = [ ]

"How quickly can you complete the test?"

TOTAL SCORE

1 24 ÷ 4 = ☐

6 ☐ x 5 = 40

2 167 + 8 = ☐

7 12 ÷ 3 = ☐

REWARD STICKER!

3 144 – 9 = ☐

8
```
    1   4   6
+   6   9   8
_____
```

4 99 + 1 = ☐

9
```
    7   4   2
–   2   9   9
_____
```

5 9 x 4 = ☐

10 4 x 8 = ☐

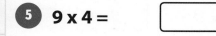

"How quickly can you count down in fours from 48 to 0?"

TOTAL SCORE

TEST

36

1 16 ÷ 4 =

2 245 + 8 =

3 582 − 9 =

REWARD STICKER!

4 15 ÷ 3 =

5 10 x 4 =

 x 5 = 55

6

7 $\frac{1}{4} + \frac{1}{4} =$

8

```
    5  3  7
 +  2  4  5
 _____
```

9

```
    8  0  0
 −  3  4  5
 _____
```

10 5 x 8 =

"What is double 13?"

TOTAL

SCORE

38

TEST 37

1 32 ÷ 4 = [ ]

6 [ ] x 5 = 50

2 267 + 8 = [ ]

7 $\frac{2}{5}$ + $\frac{1}{5}$ = [ ]

3 402 − 9 = [ ]

8
```
      6   8   2
  +   1   7   7
  _____

```

4 18 ÷ 3 = [ ]

9
```
      8   0   2
  −   5   6   7
  _____

```

5 11 x 4 = [ ]

10 6 x 8 = [ ]

REWARD STICKER!

"What is half of 30?"

TOTAL SCORE

39

TEST 38

REWARD STICKER!

1 $36 \div 4 =$ ☐

2 $599 + 8 =$ ☐

3 $601 - 9 =$ ☐

4 $27 \div 3 =$ ☐

5 $12 \times 4 =$ ☐

6 ☐ $\times 5 = 60$

7 $\frac{1}{3} + \frac{1}{3} =$ ☐

8
```
    8  4  2
 +  1  6  9
_____

```

9
```
    4  2  7
 -  1  1  1
_____

```

10 $7 \times 8 =$ ☐

"Are you getting faster?"

TOTAL SCORE

40

1. 48 ÷ 4 = ☐

2. 247 + 8 = ☐

3. 904 − 9 = ☐

4. 33 ÷ 3 = ☐

5. 60 ÷ 10 = ☐

6. ☐ x 5 = 45

7. $\frac{1}{2} + \frac{1}{2}$ = ☐

8.
```
    3   3   3
+   1   7   7
_____

_____
```

9.
```
    5   1   6
−   2   4   9
_____

_____
```

10. 8 x 8 = ☐

REWARD STICKER!

"What are twelve tens?"

TOTAL SCORE

41

TEST 40

1 40 ÷ 4 = _____

6 _____ x 5 = 35

2 598 + 8 = _____

7 $\frac{1}{4} + \frac{1}{2}$ = _____

REWARD STICKER!

3 207 − 9 = _____

8
```
      5   8   6
  +   2   4   9
  _____
```

4 36 ÷ 3 = _____

9
```
      7   4   3
  −   6   9   9
  _____
```

5 90 ÷ 10 = _____

10 9 x 8 = _____

"This is the last test. Complete it as quickly as you can!"

TOTAL SCORE

ANSWERS

1

1. $8 + 6 = 14$

2. $12 + 10 = 22$

3. $27 - 10 = 17$

4. $163 + 4 = 167$

5. Double $4 = 8$

6. $257 - 2 = 255$

7. $16 + 8 = 24$

8.
```
    2  6
  + 1  2
  ───────
    3  8
```

9.
```
    4  8
  - 1  3
  ───────
    3  5
```

10. $7 \times 2 = 14$

2

1. $9 + 6 = 15$

2. $37 + 10 = 47$

3. $59 - 10 = 49$

4. $671 + 6 = 677$

5. Double $5 = 10$

6. $499 - 7 = 492$

7. $17 + 6 = 23$

8.
```
    5  5
  + 2  3
  ───────
    7  8
```

9.
```
    7  9
  - 3  4
  ───────
    4  5
```

10. $9 \times 2 = 18$

3

1. $8 + 6 = 14$

2. $58 + 10 = 68$

3. $83 - 10 = 73$

4. $812 + 6 = 818$

5. Double $6 = 12$

6. $748 - 5 = 743$

7. $18 + 9 = 27$

8.
```
    4  6
  + 2  2
  ───────
    6  8
```

9.
```
    9  7
  - 3  4
  ───────
    6  3
```

10. $12 \times 2 = 24$

4

1. $8 + 7 = 15$

2. $112 + 10 = 122$

3. $249 - 10 = 239$

4. $562 + 8 = 570$

5. Double $7 = 14$

6. $808 - 6 = 802$

7. $17 + 8 = 25$

8.
```
    5  7
  + 3  3
  ───────
    9  0
```

9.
```
    8  8
  - 2  8
  ───────
    6  0
```

10. $8 \times 2 = 16$

5

1. $6 + 5 = 11$

2. $365 + 10 = 375$

3. $418 - 10 = 408$

4. $211 + 8 = 219$

5. Double $8 = 16$

6. $407 - 6 = 401$

7. $16 + 7 = 23$

8.
```
    4  6
  + 4  2
  ───────
    8  8
```

9.
```
    9  9
  - 3  4
  ───────
    6  5
```

10. $6 \times 2 = 12$

6

1. $7 + 5 = 12$

2. $592 + 10 = 602$

3. $777 - 10 = 767$

4. $318 + 7 = 325$

5. Double $9 = 18$

6. $748 - 6 = 742$

7. $19 + 7 = 26$

8.
```
    5  8
  + 3  2
  ───────
    9  0
```

9.
```
    6  1
    7  0
  - 3  4
  ───────
    3  6
```

10. $11 \times 2 = 22$

7

1. $9 + 7 = 16$

2. $894 + 10 = 904$

3. $503 - 10 = 493$

4. $785 + 7 = 792$

5. Double $10 = 20$

6. $692 - 8 = 684$

7. $29 + 4 = 33$

8.
```
    4  6
  + 2  7
  ───────
    7  3
```

9.
```
    8  1
    9  0
  - 2  6
  ───────
    6  4
```

10. $3 \times 5 = 15$

8

1. $7 + 8 = 15$

2. $793 + 10 = 803$

3. $407 - 10 = 397$

4. $369 + 8 = 377$

5. Double $11 = 22$

6. $560 - 9 = 551$

7. $28 + 6 = 34$

8.
```
    5  8
  + 3  7
  ───────
    9  5
```

9.
```
    7  1
    8  0
  - 5  3
  ───────
    2  7
```

10. $4 \times 5 = 20$

1. $9 + 5 = 14$
2. $899 + 10 = 909$
3. $508 - 10 = 498$
4. $478 + 8 = 486$
5. Double $12 = 24$
6. $360 - 8 = 352$
7. $27 + 8 = 35$
8.
$$\begin{array}{r} 6\ 6 \\ +\ 2\ 9 \\ \hline 9\ 5 \\ \hline {\scriptstyle 1} \end{array}$$
9.
$$\begin{array}{r} {}^{8}\!\cancel{9}\ {}^{1}0 \\ -\ \ 4\ 2 \\ \hline 4\ 8 \end{array}$$
10. $5 \times 5 = 25$

1. $8 + 8 = 16$
2. $36 + 100 = 136$
3. $465 - 100 = 365$
4. $318 + 30 = 348$
5. Double $13 = 26$
6. $290 - 8 = 282$
7. $26 + 10 = 36$
8.
$$\begin{array}{r} 5\ 7 \\ +\ 3\ 5 \\ \hline 9\ 2 \\ \hline {\scriptstyle 1} \end{array}$$
9.
$$\begin{array}{r} {}^{6}\!\cancel{7}\ {}^{1}0 \\ -\ \ 3\ 6 \\ \hline 3\ 4 \end{array}$$
10. $6 \times 5 = 30$

11

1. $9 + 9 = 18$
2. $78 + 100 = 178$
3. $123 - 100 = 23$
4. $462 + 20 = 482$
5. Double $14 = 28$
6. $140 - 6 = 134$
7. $39 + 10 = 49$
8.
$$\begin{array}{r} 8\ 6 \\ +\ 4\ 7 \\ \hline 1\ 3\ 3 \\ \hline {\scriptstyle 1} \end{array}$$
9.
$$\begin{array}{r} {}^{8}\!\cancel{9}\ {}^{1}0 \\ -\ \ 2\ 4 \\ \hline 6\ 6 \end{array}$$
10. $7 \times 5 = 35$

1. $12 + 10 = 22$
2. $47 + 100 = 147$
3. $199 - 100 = 99$
4. $528 + 60 = 588$
5. Double $15 = 30$
6. $570 - 8 = 562$
7. $67 + 10 = 77$
8.
$$\begin{array}{r} 9\ 5 \\ +\ 6\ 8 \\ \hline 1\ 6\ 3 \\ \hline {\scriptstyle 1} \end{array}$$
9.
$$\begin{array}{r} {}^{5}\!\cancel{6}\ {}^{1}0 \\ -\ \ 1\ 7 \\ \hline 4\ 3 \end{array}$$
10. $8 \times 5 = 40$

13

1. $11 + 7 = 18$
2. $85 + 100 = 185$
3. $365 - 100 = 265$
4. $723 + 70 = 793$
5. $\frac{1}{2}$ of $10 = 5$
6. $790 - 9 = 781$
7. $45 + 20 = 65$
8.
$$\begin{array}{r} 8\ 8 \\ +\ 8\ 8 \\ \hline 1\ 7\ 6 \\ \hline {\scriptstyle 1} \end{array}$$
9.
$$\begin{array}{r} {}^{7}\!\cancel{8}\ {}^{1}0 \\ -\ \ 3\ 7 \\ \hline 4\ 3 \end{array}$$
10. $9 \times 5 = 45$

1. $12 + 7 = 19$
2. $63 + 100 = 163$
3. $727 - 100 = 627$
4. $904 + 80 = 984$
5. $\frac{1}{2}$ of $12 = 6$
6. $640 - 9 = 631$
7. $32 + 10 = 42$
8.
$$\begin{array}{r} 7\ 7 \\ +\ 7\ 7 \\ \hline 1\ 5\ 4 \\ \hline {\scriptstyle 1} \end{array}$$
9.
$$\begin{array}{r} {}^{6}\!\cancel{7}\ {}^{1}1 \\ -\ \ 2\ 4 \\ \hline 4\ 7 \end{array}$$
10. $10 \times 5 = 50$

15

1. $14 + 6 = 20$
2. $48 + 100 = 148$
3. $444 - 100 = 344$
4. $378 + 50 = 428$
5. $\frac{1}{2}$ of $14 = 7$
6. $518 - 9 = 509$
7. $27 + 30 = 57$
8.
$$\begin{array}{r} 6\ 8 \\ +\ 4\ 3 \\ \hline 1\ 1\ 1 \\ \hline {\scriptstyle 1} \end{array}$$
9.
$$\begin{array}{r} {}^{7}\!\cancel{8}\ {}^{1}2 \\ -\ \ 2\ 5 \\ \hline 5\ 7 \end{array}$$
10. $11 \times 5 = 55$

1. $17 + 5 = 22$
2. $529 + 100 = 629$
3. $638 - 100 = 538$
4. $692 + 40 = 732$
5. $\frac{1}{2}$ of $16 = 8$
6. $32 - 9 = 23$
7. $48 + 20 = 68$
8.
$$\begin{array}{r} 8\ 7 \\ +\ 7\ 9 \\ \hline 1\ 6\ 6 \\ \hline {\scriptstyle 1} \end{array}$$
9.
$$\begin{array}{r} {}^{8}\!\cancel{9}\ {}^{1}1 \\ -\ \ 3\ 6 \\ \hline 5\ 5 \end{array}$$
10. $12 \times 5 = 60$

17

1. $15 + 7 = 22$

2. $345 + 200 = 545$

3. $729 - 200 = 529$

4. $587 + 60 = 647$

5. $\frac{1}{2}$ of $18 = 9$

6. $48 - 9 = 39$

7. $75 + 20 = 95$

8.
```
    9  3
 +  8  4
 ─────────
 1  7  7
```

9.
```
    7  5
 -  4  2
 ────────
    3  3
```

10. $2 \times 10 = 20$

18

1. $16 + 8 = 24$

2. $512 + 200 = 712$

3. $837 - 200 = 637$

4. $679 + 40 = 719$

5. $\frac{1}{2}$ of $20 = 10$

6. $53 - 9 = 44$

7. $66 + 20 = 86$

8.
```
    2  6
 +  4  3
 ────────
    6  9
```

9.
```
    8  7
 -  3  5
 ────────
    5  2
```

10. $3 \times 10 = 30$

19

1. $17 + 4 = 21$

2. $324 + 200 = 524$

3. $957 - 200 = 757$

4. $466 + 70 = 536$

5. $\frac{1}{2}$ of $22 = 11$

6. $77 - 9 = 68$

7. $52 + 20 = 72$

8.
```
    6  5
 +  4  3
 ────────
 1  0  8
```

9.
```
   ⁸9̷  ¹3
 -  4  5
 ────────
    4  8
```

10. $4 \times 10 = 40$

20

1. $19 + 8 = 27$

2. $674 + 200 = 874$

3. $328 - 200 = 128$

4. $786 + 80 = 866$

5. $\frac{1}{2}$ of $24 = 12$

6. $812 - 9 = 803$

7. $69 + 20 = 89$

8.
```
    8  7
 +  5  6
 ────────
 1  4  3
       1
```

9.
```
   ⁶7̷  ¹2
 -  3  6
 ────────
    3  6
```

10. $5 \times 10 = 50$

21

1. $26 + 7 = 33$

2. $299 + 200 = 499$

3. $765 - 200 = 565$

4. $322 + 60 = 382$

5. $\frac{1}{2}$ of $26 = 13$

6. $456 - 9 = 447$

7. $92 + 10 = 102$

8.
```
 1  2  4
 +     4  3
 ────────────
 1  6  7
```

9.
```
    8  4
 -  4  2
 ────────
    4  2
```

10. $6 \times 10 = 60$

22

1. $28 + 8 = 36$

2. $572 + 200 = 772$

3. $379 - 200 = 179$

4. $70 + 60 = 130$

5. $7 \times 10 = 70$

6. $5 \times 2 = 10$

7. $144 + 10 = 154$

8.
```
 3  6  5
 +     2  7
 ────────────
 3  9  2
       1
```

9.
```
   ⁸9̷  ¹0
 -  4  5
 ────────
    4  5
```

10. $2 \times 3 = 6$

23

1. $29 + 5 = 34$

2. $613 + 200 = 813$

3. $847 - 200 = 647$

4. $80 + 40 = 120$

5. $8 \times 10 = 80$

6. $3 \times 2 = 6$

7. $8 \div 2 = 4$

8.
```
 6  9  9
 +     3  6
 ────────────
 7  3  5
    1  1
```

9.
```
   ⁶7̷  ¹0
 -  3  5
 ────────
    3  5
```

10. $3 \times 3 = 9$

24

1. $37 + 7 = 44$

2. $702 + 200 = 902$

3. $916 - 200 = 716$

4. $30 + 90 = 120$

5. $9 \times 10 = 90$

6. $6 \times 2 = 12$

7. $16 \div 2 = 8$

8.
```
 7  4  7
 +  1  0  2
 ────────────
 8  4  9
```

9.
```
   ⁴8̷  ¹0
 -  2  5
 ────────
    2  5
```

10. $4 \times 3 = 12$

25

1. $48 + 9 = 57$
2. $536 + 200 = 736$
3. $648 - 200 = 448$
4. $70 + 70 = 140$
5. $10 \times 10 = 100$
6. $8 \times 2 = 16$
7. $20 \div 2 = 10$
8.
```
    2 2 7
  + 2 2 7
    4 5 4
      1
```
9.
```
    2 ⁵6̶ ¹5
  -   4 7
    2 1 8
```
10. $5 \times 3 = 15$

26

1. $56 + 6 = 62$
2. $479 + 300 = 779$
3. $752 - 300 = 452$
4. $80 + 50 = 130$
5. $11 \times 10 = 110$
6. $10 \times 2 = 20$
7. $24 \div 2 = 12$
8.
```
    6 1 1
  + 2 5 6
    8 6 7
```
9.
```
    3 ⁷8̶ ¹2
  -   5 3
    3 2 9
```
10. $6 \times 3 = 18$

27

1. $77 + 7 = 84$
2. $516 + 300 = 816$
3. $838 - 300 = 538$
4. $40 + 80 = 120$
5. $12 \times 10 = 120$
6. $9 \times 2 = 18$
7. $14 \div 2 = 7$
8.
```
    5 4 2
  + 1 2 3
    6 6 5
```
9.
```
    6 5 7
  - 1 2 5
    5 3 2
```
10. $7 \times 3 = 21$

28

1. Double $11 = 22$
2. $148 + 300 = 448$
3. $405 - 300 = 105$
4. $80 + 60 = 140$
5. $2 \times 4 = 8$
6. $12 \times 2 = 24$
7. $18 \div 2 = 9$
8.
```
    6 7 3
  + 2 4 1
    9 1 4
      1
```
9.
```
    8 2 5
  - 3 1 4
    5 1 1
```
10. $8 \times 3 = 24$

29

1. Double $12 = 24$
2. $567 + 300 = 867$
3. $495 - 300 = 195$
4. $90 + 10 = 100$
5. $3 \times 4 = 12$
6. $11 \times 2 = 22$
7. $25 \div 5 = 5$
8.
```
    5 9 2
  + 1 0 7
    6 9 9
```
9.
```
    6 ³4̶ ¹3
  - 2 0 7
    4 3 6
```
10. $9 \times 3 = 27$

30

1. Double $13 = 26$
2. $124 + 400 = 524$
3. $672 - 400 = 272$
4. $90 + 110 = 200$
5. $4 \times 4 = 16$
6. $7 \times 2 = 14$
7. $45 \div 5 = 9$
8.
```
    5 1 8
  + 1 0 2
    6 2 0
      1
```
9.
```
    7 1 7
  - 3 0 6
    4 1 1
```
10. $10 \times 3 = 30$

31

1. Double $14 = 28$
2. $324 + 400 = 724$
3. $800 - 400 = 400$
4. $80 + 120 = 200$
5. $5 \times 4 = 20$
6. $2 \times 5 = 10$
7. $60 \div 5 = 12$
8.
```
    5 6 7
  + 1 1 4
    6 8 1
      1
```
9.
```
    ⁷8̶ ¹4 4
  - 1 5 3
    6 9 1
```
10. $11 \times 3 = 33$

32

1. Double $15 = 30$
2. $599 + 400 = 999$
3. $647 - 400 = 247$
4. $50 + 230 = 280$
5. $6 \times 4 = 24$
6. $5 \times 5 = 25$
7. $40 \div 5 = 8$
8.
```
    4 2 5
  + 1 7 5
    6 0 0
      1 1
```
9.
```
    ⁶7̶ ¹¹2̶ ¹6
  - 1 4 9
    5 7 7
```
10. $12 \times 3 = 36$

33

1. $20 \div 4 = 5$
2. $105 + 400 = 505$
3. $888 - 400 = 488$
4. $150 + 150 = 300$
5. $7 \times 4 = 28$
6. $4 \times 5 = 20$
7. $50 \div 5 = 10$
8.
$$\begin{array}{r} 5\ 6\ 5 \\ +\ 2\ 7\ 8 \\ \hline 8\ 4\ 3 \\ \hline \end{array}$$
9.
$$\begin{array}{r} 5\ 8\ 4 \\ -\ 2\ 3\ 9 \\ \hline 3\ 4\ 5 \\ \hline \end{array}$$
10. $2 \times 8 = 16$

34

1. $28 \div 4 = 7$
2. $78 + 8 = 86$
3. $42 - 9 = 33$
4. $170 + 150 = 320$
5. $8 \times 4 = 32$
6. $6 \times 5 = 30$
7. $30 \div 5 = 6$
8.
$$\begin{array}{r} 6\ 7\ 8 \\ +\ 2\ 3\ 4 \\ \hline 9\ 1\ 2 \\ \hline \end{array}$$
9.
$$\begin{array}{r} 8\ 9\ 2 \\ -\ 3\ 6\ 7 \\ \hline 5\ 2\ 5 \\ \hline \end{array}$$
10. $3 \times 8 = 24$

35

1. $24 \div 4 = 6$
2. $167 + 8 = 175$
3. $144 - 9 = 135$
4. $99 + 1 = 100$
5. $9 \times 4 = 36$
6. $8 \times 5 = 40$
7. $12 \div 3 = 4$
8.
$$\begin{array}{r} 1\ 4\ 6 \\ +\ 6\ 9\ 8 \\ \hline 8\ 4\ 4 \\ \hline \end{array}$$
9.
$$\begin{array}{r} 7\ 4\ 2 \\ -\ 2\ 9\ 9 \\ \hline 4\ 4\ 3 \\ \hline \end{array}$$
10. $4 \times 8 = 32$

36

1. $16 \div 4 = 4$
2. $245 + 8 = 253$
3. $582 - 9 = 573$
4. $15 \div 3 = 5$
5. $10 \times 4 = 40$
6. $11 \times 5 = 55$
7. $\frac{1}{4} + \frac{1}{4} = \frac{2}{4}$ or $\frac{1}{2}$
8.
$$\begin{array}{r} 5\ 3\ 7 \\ +\ 2\ 4\ 5 \\ \hline 7\ 8\ 2 \\ \hline \end{array}$$
9.
$$\begin{array}{r} 8\ 0\ 0 \\ -\ 3\ 4\ 5 \\ \hline 4\ 5\ 5 \\ \hline \end{array}$$
10. $5 \times 8 = 40$

37

1. $32 \div 4 = 8$
2. $267 + 8 = 275$
3. $402 - 9 = 393$
4. $18 \div 3 = 6$
5. $11 \times 4 = 44$
6. $10 \times 5 = 50$
7. $\frac{2}{5} + \frac{1}{5} = \frac{3}{5}$
8.
$$\begin{array}{r} 6\ 8\ 2 \\ +\ 1\ 7\ 7 \\ \hline 8\ 5\ 9 \\ \hline \end{array}$$
9.
$$\begin{array}{r} 8\ 0\ 2 \\ -\ 5\ 6\ 7 \\ \hline 2\ 3\ 5 \\ \hline \end{array}$$
10. $6 \times 8 = 48$

38

1. $36 \div 4 = 9$
2. $599 + 8 = 607$
3. $601 - 9 = 592$
4. $27 \div 3 = 9$
5. $12 \times 4 = 48$
6. $12 \times 5 = 60$
7. $\frac{1}{3} + \frac{1}{3} = \frac{2}{3}$
8.
$$\begin{array}{r} 8\ 4\ 2 \\ +\ 1\ 6\ 9 \\ \hline 1\ 0\ 1\ 1 \\ \hline \end{array}$$
9.
$$\begin{array}{r} 4\ 2\ 7 \\ -\ 1\ 1\ 1 \\ \hline 3\ 1\ 6 \\ \hline \end{array}$$
10. $7 \times 8 = 56$

39

1. $48 \div 4 = 12$
2. $247 + 8 = 255$
3. $904 - 9 = 895$
4. $33 \div 3 = 11$
5. $60 \div 10 = 6$
6. $9 \times 5 = 45$
7. $\frac{1}{2} + \frac{1}{2} = \frac{2}{2}$ or 1
8.
$$\begin{array}{r} 3\ 3\ 3 \\ +\ 1\ 7\ 7 \\ \hline 5\ 1\ 0 \\ \hline \end{array}$$
9.
$$\begin{array}{r} 5\ 1\ 6 \\ -\ 2\ 4\ 9 \\ \hline 2\ 6\ 7 \\ \hline \end{array}$$
10. $8 \times 8 = 64$

40

1. $40 \div 4 = 10$
2. $598 + 8 = 606$
3. $207 - 9 = 198$
4. $36 \div 3 = 12$
5. $90 \div 10 = 9$
6. $7 \times 5 = 35$
7. $\frac{1}{4} + \frac{1}{2} = \frac{3}{4}$
8.
$$\begin{array}{r} 5\ 8\ 6 \\ +\ 2\ 4\ 9 \\ \hline 8\ 3\ 5 \\ \hline \end{array}$$
9.
$$\begin{array}{r} 7\ 4\ 3 \\ -\ 6\ 9\ 9 \\ \hline 4\ 4 \\ \hline \end{array}$$
10. $9 \times 8 = 72$

CHART YOUR PROGRESS

Shade in the chart to record your score in each test.

SCORE

TEST	1	2	3	4	5	6	7	8	9	10
1										
2										
3										
4										
5										
6										
7										
8										
9										
10										
11										
12										
13										
14										
15										
16										
17										
18										
19										
20										
21										
22										
23										
24										
25										
26										
27										
28										
29										
30										
31										
32										
33										
34										
35										
36										
37										
38										
39										
40										